9,80

Sammlung Luchterhand 9

ernst jandl
der
künstliche
baum

luchterhand

Sammlung Luchterhand, September 1970
8. Auflage, September 1981

© 1970 by Hermann Luchterhand Verlag GmbH & Co KG,
Darmstadt und Neuwied
Gesamtherstellung bei der
Druck- und Verlags-Gesellschaft mbH
Darmstadt
ISBN 3-472-61009-3

17.3.82

```
frucht        frucht        frucht        frucht        frucht        frucht

      frucht        frucht        frucht        frucht        frucht

            frucht        frucht        frucht        frucht

                  frucht        frucht        frucht

                        frucht   frucht
                           fracht
                           fracht
                           fracht
                           fracht
                           fracht
                           fracht
                           fracht
                           fracht
                           fracht
                           fracht
                           fracht
                           fracht
                           fracht
                           fracht
                           fracht
                           fracht
                           fracht
                           fracht
                           fracht
                           fracht
                        frucht   frucht

                  frucht        frucht        frucht

            frucht        frucht        frucht        frucht

      frucht        frucht        frucht        frucht        frucht

frucht        frucht        frucht        frucht        frucht        frucht




                  "der künstliche baum"
```

```
raupe
r aupe
ra upe
rau pe
raup e
raupe
r aupe
ra upe
rau pe
raup e
raupe
r aupe
ra upe
rau pe
raup e
raupe
r aupe
ra upe
rau pe
raup e
raupe
r aupe
ra upe
rau pe
raup e
raupe
r aupe
ra upe
rau pe
raup e
raupe
r aupe
ra upe
rau pe
raup e
raupe
r aupe
ra upe
rau pe
raup e
raupe
```

              b r a v o

          b r a v o

                v o g e l

                    g e l bravo

            v o g e l bravo

b r a v o   vogel

 r a v o   gelb r a v o

                       vogel b r a v o

                   bravo   v o g e l

                   bravo   g e l b

                                      v o g e l

                        b r a v o

                        b r a v o

```
 walk) toof
(charlie     foot
 walk) toof
(charlie     foot
 walk) toof
(charlie     foot
 walk) toof
(charlie     foot
 walk) toof
(charlie     foot
 walk) toof
(charlie     foot
 stop) toofoot
```

für charles chaplin

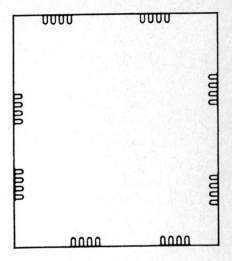

samt samt seltsamen

für oswald wiener

samt
samts
samtsa
samtsam
samtsamt
samt samt
samts samts
samtsa samtsa
samtsam samtsam
samtsamt samtsamt
samt samt samt samt
samts samts samts samts
samtsa samtsa samtsa samtsa
samtsam samtsam samtsam samtsa
samtsamt samtsamt samtsamt samtsamt
samt samt samt samt samt samt samt samt
samts samts samts samts samts samts samts samts
samtsa samtsa samtsa samtsa samtsa samtsa samtsa samtsa
samtsam samtsam samtsam samtsam samtsam samtsam samtsam samtsam
samtsamt samtsamt samtsamt samtsamt samtsamt samtsamt samtsam
samt samt samt samt samt samt samt samt samt samt samt samt samt

```
er
ers
erst
erste
erster
erst er
erste ers
erster erst
erst er erste
erste ers erster
erster erst erst er
erst er erste erste ers
erste ers erster erster erst
erster erst erst er erste erste ers
erst er erste erste ers erster erster erst
erste ers erster erster erst er erste erste ers
erster erst erst er erste erste ers erster erster erst
erst er erste erste ers erster erster erst er erste erste ers
erste ers erster erster erst er erste erste ers erster erster erst
erster erst erst er erste erste ers erster erster erst er erste erste ers
erst er erste erste ers erster erster erst er erste erste ers erster erster erst
erste ers erster erster erst er erste erste ers erster erster erst er erste erste ers
erster erst erst er erste erste ers erster erster erst er erste erste ers erster erster erst
```

```
                    morgen
                    abend
                    morgen
                   abend
                    morgen
                  abend
                    morgen
                 abend
                    morgen
                abend
                    morgen
              abend
                    morgen
            abend
                    morgen

          abendmorgen

        abendmorgen

      abend morgen

                    morgen
            abend
                    morgen
           abend
                    morgen
          abend
                    morgen
         abend
                    morgen
        abend
                    morgen
       abend
                    morgen
      abend
                    morgen
       abend
                    morgen
        abend
                    morgen
         abend
                    morgen
          abend
                  morgen
            abend
                 morgen abend

                 morgenabend

                 morgen abend
                      abend
                    morgen
                      abend
                    morgen
                     abend
                    morgen
                   abend
                    morgen
                  abend
                    morgen
                 abend
                    morgen
                abend
                    morgen
```

streben : eine entwicklung

```
                    ow
                    o-w
                    o--w
                    o---w
                    o----w
                    ·o---w
                    o---w
                    o--w
                    o-w
                    ow
                    wo·
                    w-o
                    w--o
                    w---o
                    w----o
                    w---o
                    w--o
                    w-o
                    wo
```

für eduard reifferscheid

1

2

```
    dort        wo?
    dort        wo?
    dort        wo?
    dort        wo?
    dort        wo?
     dort       wo?
      dort      wo
     dort       wo?
    dort        wo?
    dort        wo?
    dort        wo?
   · dort       wo?
    dort        wo?
```

3

```
dort
 dort
  dort
   dort
    dort
     dort
      dort wo wo wo wo wo wo wo wo
     dort
    dort
   dort
  dort
 dort
dort
```

4

```
 dort
  dort
   dort
    dort
     dort
      dort
       dort              hier
      dort
     dort
    dort
   dort
  dort
 dort
```

5

```
    dort·            hier
    dort             hier
     dort            hier
      dort           hier .
       dort          hier
        dort         hier
         dort        hier
        dort         hier
       dort          hier
      dort           hier
     dort            hier
    dort             hier
    dort             hier
```

legende

1 das fragende wo blickt um sich
2 das·strebende dort schlägt einen stein aus der fragemauer
3 dem strebenden dort zeigt das wo einen weg
4 das dort·erblickt sein ziel
5 das zur grösse des strebenden angewachsene ziel.
  trägt den strebenden mit sich fort

```
              i
              i
              i
              i
              i
              i
              i
              i
              i
            nih l
            nih l
            nih l
            nih l
            nih l
            nih l
            nih l
            nih l
            nih l
            n h l
            n hil
            n hil
            n hil
            n hil
            n hil
            n hil
            n hil
            n hil
            n hil
              i
              i
              i
              i
              i
              i
              i
              i
              i
```

escalator

```
die nerven
die nerven
die nerven
die nerven
die nerve
die nerv
die ner
die ner
die ner
die ner
die ne
die n
die n
die n
die n
die
die
die
die
 ie n
  e ne
    ner
     er
     er
     er
     er
     erv
    nerv
    nerv
    nerv
    nerv
  e nerve
 ie nerven
die nerven
 ie nerven
  e nerven
    nerven
    nerven
    nerven
    nerven
```

```
bll   bllbll   bllbll   bll   bllbll
ood   oodood   oodood   ood   oodood
      bllbll   bllbll   bll   bllbll
      oodood   oodood   ood   oodood
      bllbll   bllbll   bll   bll
      oodood   oodood   ood   ood
         bll   bllbll   bll   bll
         ood   oodood   ood   ood
         bll   bllbll   bll
         ood   oodood   ood
               bllbll   bll
               oodood   ood
               bllbll
               oodood
                  bll
                  ood
```

rot

ich weiß

rot

u.s.a.
u.s.a.
u.s.a.
u.s.a.
u.s.a.
u.s.a.
u.s.a.
u.s.a.
u.s.a.
u.s.a.
u.s.a.
u.s.a.
u.s.a.
u.s.a.
u.s.a.
u.s.a.
u.s.a.
u.s.a.
u.s.a.
u.s.a.
u.s.a.
usw.
x.
y.
z.

ost
notost
ostnotost
notnotost
notost
ost

```
   s tellvertretend
  s t ellver re end
  st e llv rtr t nd
  ste l  vertretend
  ste  l vertretend
  stell v ertretend
  st llv e rtr t nd
  stellve r t etend
  s ellver t re end
  stellve t r etend
  st llv rtr e t nd
  s ellver re t end
  st llv rtr t e nd
  stellvertrete n d
  stellvertreten d
```

v
erteilung
ve
rteilung
ver
teilung
vert
eilung
verti
ilung
vertil
lung
vertilg
ung
vertilgu
ng
vertilgun
g

```
   r
   an
b/a
   an
r/n
   an
a/c
   an
    n/u
   an
      c/s
   an  u/i
   an   s
```

hommage à brancusi (1)

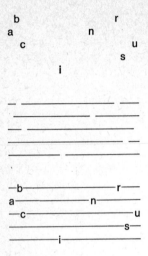

(3) »vogel im raum«

fliegen

fliegen

fliegen

fliegen

fliegen

fliegen

fliegen

fliegen

fliegen

(4)

```
aaaaaa
aaabaa
aaacaa
aaadaa
aaaeaa
afaeaa
agaeaa
ahaeaa
aiaeaa
ajaeaa
akaeaa
alaeaa
alaeam
alaean
alaeon
alaepn
alaeqn
alaern
alsern
altern
aluern
alvern
alwern
alxern
alyern
alzern
alzeyn
alzezn
alzezw
alzezx
alzezy
alzezz
ayzezz
azzezz
azztzz
azzuzz
azzvzz
azzwzz
azzxzz
azzyzz
azzzzz
wzzzzz
xzzzzz
yzzzzz
zzzzzz
```

"altern"

BIOGRAPHY

for Ian Hamilton Finlay


```
d     eat     h
 d     eat     h
  d   eat   h
   d  eat h
    death
```

COMING . . .

```
     earth
    e art h
   e   art   h
  e    art    h
 e     art     h
```

. . . AND GOING

```
 e     art     h
  e    art    h
   e   art   h
    e art h
     earth
```

SHIP

```
    scratch
   sc rat ch
  sc   rat   ch
 sc    rat    ch
sc     rat     ch
```

```
 h    ear    t
  h    ear    t
   h   ear   t
    h ear t
     heart
```

```
        drown
      d  row  n
       d  row  n
     d    row    n
    d      row      n
```

STEPS

```
    p      lane      t
     p     lane     t
      p    lane   t
       p  lane t
       planet
```

MEADOW PEACE

```
        clover
      c love r
     c  love   r
    c    love     r
    c     love       r
```

I AM

```
    a     i     m
     a    i    m
      a   i   m
       a  i m
       aim
```

```
       just
        j  us  t
       j   us   t
      j    us    t
     j      us       t
```

THE POSSESSED GIRL

```
      h     i      s
       h     i    s
        h   i   s
        h  i s
        his
```

```
        born
       b or n
      b  or  n
     b   or   n
    b    or    n


  s    no    w
   s   no   w
    s  no  w
     s no w
       snow


        glide
       g lid e
      g  lid  e
     g   lid   e
    g    lid    e
```

POOR. OLD. TIRED. HORSE.

```
    t    rut     h
     t    rut   h
      t   rut  h
       t rut h
        truth


        joke
       j ok e
      j  ok  e
     j   ok   e
    j    ok    e
```

TESTAMENT

```
    c     and     y
     c    and    y
      c   and   y
       c and y
        candy
```

-ich-
-ich-
-ich-
-ich-
-ich-
-ich-
-ich-
-ich-
-ich-
-ich-
-ich-
-ich-
-ich-
-ich-
-ich-
-ich-
-ich-
-ich-
-ich-
-ich-
-ich-
-ich-
-ich-
-ich-
-ich-
-ich-
-ich-
die jakobsleiter   -ich-
-ich-
-ich-
-ich-

```
ebbeebbeebbeebbeebbeflut
ebbeebbeebbeebbeebbeebbe
ebbeebbeebbeebbeebbeflut
ebbeebbeebbeebbefluuuuut
ebbeebbeebbefluuuuuuuuut
ebbeebbefluuuuuuuuuuuuut
ebbefluuuuuuuuuuuuuuuuut
fluuuuuuuuuuuuuuuuuuuuut
ebbefluuuuuuuuuuuuuuuuut
```

ein so ein riesen haufen
ein so ein riesen haufen
ein so ein riesen haufen
ein so ein riesen haufen
ein so ein riesen haufen
ein so ein riesen haufen
ein so ein riesen haufen
ein so ein riesen haufen
ein so ein riesen haufen
ein so ein riesen haufen
ein so ein riesen haufen
ein so ein riesen haufen
ein so ein riesen haufen
ein so ein riesen haufen
ein so ein riesen haufen

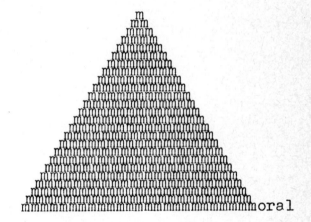

Maria Mutter mein
beschütze uns von dem Gestein
und die Seelen all
vor dem Sündenfall

villgratener texte

aufgeschrieben und geordnet
von ernst jandl Rauchen verboten

Gott
vergelt
es

1733.
1850.
1909. Eintritt verboten

Chers Visiteurs,
    Tyrol! Voilà un mot qui évoque pour tous la détente et le
repos, le soleil et ses bienfaits. Il ne faudrait cependant pas
que, pour certains, cette joie soit gâtée par les réflexions
désagréables, mais justifiées, que risque de provoquer une
tenue trop »aérée«. Dans l'intérêt de tous, nous vous prions
d'en tenir compte et de vous habiller de façon à ne froisser
personne. D'avance nous vous en remercions, et vous souhai-
tons de belles vacances.
                              Le Gouvernement provincial du Tyrol

10
8

11

32
32

Hier ruht
und erwartet eine glückliche
Auferstehung der Jüngling

Peter Ortner

geb. 16. 2. 1871 in Innervillgraten
gest. 17. 11. 1945. Dessen Schwester
Maria Ortner geb. 10. 5. 1865, gest. 18. 2. 1945

Altbewährt
M A G G I s
Suppen-Artikel
hier zu haben

Hic est Jesus Rex Judaeorum

59

Hier ruhet
das unschuldige Kind

Johan Rainer
aus der Familie Vaider
geb. und gest. 1897
– –

Lasset die Kleinen zu mir

GRÜß GOTT

GOtt + zum + Grus
52   1905
19 CMB 57

Gott. zum: Gruss, Gs.
1899   51
Tiroler Landes-
brandversicherung
19＋C＋M＋B＋57

Titze Kaiser-Feigenkaffee feinste Qualität
Feigenkaffee

Das
Beste
NEU =
CREM
Schuhputzmittel

Herr gib Ihnen die ewige Ruhe
u. das ewige Licht leuchte Ihnen

nach Kalkstein 35 Min.
Pfannhorn 3 ½ St.

Franz Senfter von Innervillgraten
zu Göllersteuder verunglückte
hier am
11. Oktober 1922
er bittet um ein Ave Mar
S
   G   Z
   ·   ·

in's Arntal
Schwarzsee 3 ½ St.
Rot- und Weissenspitze 4 St.
Villgratertörl 3 St.

Hier ruhet in Gott
die wohlgeachtete
Katharina

Schmiedhofer

geboren am 11. Jänner 1904
gestorben am 23. August 1944
Mein Jesus Barmherzigkeit!
R.I.P.

Hier ruht das unschuldige Kind

Peter Paul Schett

geboren am 21. Feber 1950 gest. am 17. September 1954

Liebe Mutter und Geschwister
Lebet fromm vertraut auf Gott
Ich bin dem Vater nachgegangen
Wir sind daheim beim lieben Gott
R.I.P.

44   Hier ruhen
die vier unschuldigen Kinder
des Josef Fürhapter V. Kafte
Hier in diesem Rosengarten
Wollen wir auf unsre Eltern warten
          R.I.P.

        Hier ruht
das unschuldige Kind

    Georg Anton Lanser

geb. und gest. am 2. Juni 1955
    Lebenszeit – Elternleid
    Gott gewollt Heim geholt
          R.I.P.

Der Kurs 1 und 6 verkehrt täglich, die Kurse 7 und 8 verkehren
an allen Werktagen. Die Kurse 2 und 3 verkehren vom 15. 6.
bis 15. 9. 1957. Die Kurse 4 und 5 verkehren nach Bedarf.

UNSERE LIEBE FRAU DER TRÄNEN VON SYRAKUS

    Die führende Marke
    Beste Schuhcreme
    C A V A L I E R
    Trade Mark
    CAVALIER
    mit praktischem
    Patent-
    DOSENÖFFNER

Durch die harten Geiselstreuch hab
ich die Erlosung erröicht.

    Bäckerei
    Fridl Bachmann
    Gemischtwarenhandlung
    Alfons Senfters Erben
    MICHL
    SCHETT
      SCHUH-
      MACHER

Hier ruht
Johanna Schett Nolte
geb. und gest. am 15. I. 1948

Ich LiegehierimHimmelsgarten und will
auf meine Eltern warten die Eltern
libten mich so sehr DochGott
im Himmel noch viel mehr

Hochspannung,
Lebensgefahr
217

Hier ruhen
unsere lieben Kinder
Josef   .19. 1. 1924, † 25. 1. 1924
Josef   .25. 11. 1926, † 30. 12. 1926
Frieda .30. 11. 1929, † 12. 1. 1930
Otto   .27. 6. 1936, † 5. 4. 1937
Franz   .20. 11. 1940, † 22. 11. 1940

hilf
    ein Leben
    erhalten
MELDE DICH
ALS BLUTSPENDER

Hier ruht
Frau Zitta Lanser
Ausserwalderbäurin
samt Ihrem us. Kind
    Lidwina
In Erfüllung Ihrer
Mutterpflicht starb
Sie am 16. Juni 1940 im
44. Lebensjahr in Lienz

zur Kamelisenalm
    über Hochberg
2 ½ St.

in's Ainettal
    sieben Seen
    Hochgrabe 3 ½ St.

46   Hier ruht
unser unschuldiges Kind

Notburga Schett (Nolte)

geb. und gest. am 4. März 1948
Eine Blume für das Leben
Eine Träne für das Grab
Gott mit Schmerz zurückgegeben
Was er uns zur Freude gab.

          53
                    DOMINI
                    46

Kraftwagen
Haltestelle

Hier   ruht
der wohlgeborene Herr
Johann Achammer
Gasthausbesitzer
er war geboren in Sillian am
5. Oktober 1848 und starb
nach kurzer Krankheit am 22.
November 1903, nach Empfang
der letzten Öhlung. Ihm voraus
giengen 2 unschuldige Kinder.
Er ruhe in Frieden

Hier verunglückten durch eine
Schneelawine am 23. Feber 1879
die 2 Brüder von Kalkstein
David Walder 15. Jahre u. Alois
Walder 10. Jahre. Das ewige Licht
leuchte ihnen. Süßes Herz Mariä
sei meine Rettung 300 Tage Ablaß.

Hier ruht das unschuldige Kind
    Josef Bachmann
    zu Bodemair
geb. 2. Jän. 1925, gest. 4. März 1925
Nicht für die Welt war ich geboren
Nicht bestimmt für eitles Glück
Zum Engel hat mich Gott erkoren
Drum liebe Eltern weinet nicht
Ich werde bittend für Euch fleh'n
Bis wir uns einstens wieder seh'n
    R.I.P.

    Hier ruht
    die Jungfrau
Augusta Seidl Großbachleb
welche geb. 1883 und am 14. November 1950
selig im Herrn verschied
Weil du getreu warst bis in den Tod
wird dir der Herr die Krone des Lebens
geben. R.I.P.

Ruh' aus, o Leib, so lang
Bis der Posaunenklang
Einst dich aus dieser Gruft
Zum Lohn der Arbeit ruft

    P   St
    Peter Steidl
    Holzhandel

    Christliches Andenken
        an
        Peter Mair
Besitzer zu Schönsteig
geb. am 15. Okt. 1838, gest. am 13. April 1908,
und an dessen Sohn
        Alois Mair
gest. im Alter von 29 Jahren, an
Kriegsstrapazen im Spitale
zu Antipicha Ostsibirien
am 4. April 1916.
Herr lasse sie ruhen in Frieden!

Am Sonntag, den 11. August 1957 findet in
Tassenbach (Aue) das

    2. traditionelle
    O b e r p u s t e r t a l e r
    S c h ü t z e n f e s t   statt.

Fest-Programm: 9 Uhr Aufmarsch zum Festplatz von der Bun-
desstraße. 9.15 Uhr Begrüßungsansprache, 9.30 Uhr Feldmesse,
anschließend Dekorierung, Festansprachen, Heldenehrung und
Defilierung. Kurze Mittagspause mit Konzert. 13 Uhr Einmarsch
sämtlicher Schützenkompagnien zum Festplatz; hierauf volks-
tümliche Belustigungen, sowie Tanz im Freien, Plattlereinlagen
u. Gesang, Schießbude usw.
Alle Freunde und Gönner des Schützenwesens sind herzlichst
eingeladen.

DAS FESTKOMITEE

Christliche Erinnerung
an den wohlgeborenen und hochgeachteten

Johann Steidl

welcher zu Untergaller in Innervillgraten am 18. Juni 1835 ge-
boren wurde und dortselbst nach kurzer Krankheit und nach
Empfang der hl. Sterbesakramente am 11. April 1915 selig im
Herrn verschieden ist. Der Verstorbene war durch viele Jahre
Kapellmeister der Feldmusik, Organist, Gemeindesekretär,
Tierarzt, ein vorzüglicher Ratgeber und Helfer für Gesunde und
Kranke, welch' letzteren er in gar vielen Fällen besonders gute
Dienste geleistet hat, weshalb sein Andenken in der Heimat-
gemeinde unsterblich und sein Lohn im Himmel herrlich sein
wird. R.I.P.

Hier ruhen
in Gott

JOSEF LUSSER,   geb. am 2.Feb.1913
                         gest. am 14.4.1935
ANTON LUSSER,   geb. am 1.Feb.1913
                         gest. am 24.4.1913
ANONYMUS LUSSER,   geb. am 1.Okt.1914
                         gest. am 1.10.1914
MARIANNE LUSSER,   geb. 6.Dez.1919
                         gest. am 8.6.1928

NOTBURG LUSSER, geb. 6.Dez.1919
gest. am 14.8.1920
FRANZISKA LUSSER, geb. 6.April1921
gest. 10.3.1922

GEMEINDEAMT
STANDESAMT

VOLKSSCHULE

ZUR BLEIBENDEN ERINNERUNG AN DIE
OPFER BEIDER WELTKRIEGE

1914 1918
Rußland
Italien
1939 1945
Rußland
Italien
Jugoslawien
Westfront
Norwegen

schettSCHETTmairSENFTERsteidlFÜRHAPTERsteinterSENF
TERsteidlMÜHLMANNschettSENFTERsenfterSTEIDLwalderW
ALDERschallerBERGMANNmühlmannBACHMANNpranterSCHE
TTmairSENFTERschallerBERGMANNgutwengerACHAMMERach
ammerLANSERmairSTEIDLmühlmannGANNERschettMAIRsenfte
rMAIRlanserGUTWENGERbachmannSCHETTgutwengerORTNE
RlusserACHAMMERsenfterSENFTERwalderWALDERmühlmann
SCHETTsteidlSCHALLERlanserSCHETTgutwengerSCHETTmair
SCHETTschettBACHMANNheiderHEIDERfürhapterSTEIDLbach
mannKASEBACHERschettFORSTHUBERmairMAIRbergmannSCH
MIDHOFERniederhoferLUSSERsteidlSCHETTlanserSTEIDLschet
tSENFTERmairORTNERmimiolaSTEIDLfürhapterSENFTERsen
fterSCHETTheiderWIEDEMEIERwalderLUSSERkasebacherRA
INERschettSCHETTsenfterMÜHLMANN

Das tat ich
für Dich.
Was tust Du
für Mich?
I.N.R.I.

10,8

frühe übung einem einen wichtigen sachverhalt einzuprägen

merk dir
du heißt
ernst jandl
und wohnst
wien 3
landstraßer
gürtel
sagte
die mutter
9
zu mir

merk dir
du heißt
ernst jandl
und wohnst
wien 3
sagte
die mutter
landstraßer
gürtel 9
zu mir

merk dir
du heißt
ernst jandl
und wohnst
wien
sagte
die mutter
3
landstraßer
gürtel 9
zu mir

merk dir
du heißt
ernst jandl
und wohnst
sagte
die mutter
wien 3
landstraßer
gürtel 9
zu mir

merk dir
du heißt
ernst jandl
sagte
die mutter
und wohnst
wien 3
landstraßer
gürtel 9
zu mir

merk dir
du heißt
ernst
sagte
die mutter
jandl
und wohnst
wien 3
landstraßer
gürtel 9
zu mir

merk dir
du heißt
sagte
die mutter
ernst jandl
und wohnst
wien 3
landstraßer
gürtel 9
zu mir

merk dir
sagte
die mutter
du heißt
ernst jandl
und wohnst
wien 3
landstraßer
gürtel 9
zu mir

ich heiße
sagte ich
ernst
jandl
und wohne
wien
3
landstraßer
gürtel
9

elefant

elefant

    da war doch

    da war doch

elefant

elefant

    ritten doch

    ritten doch

aber rote sattel

    rote sattel

trara trara trara

bettler singt

kretsch kratsch

fenster geht auf

gla gla gla gla gla

raschelnd in papier verschwindet geldstück

tsssinnnnnnng

fliegt es durch die luft

daaaaank daaaaank

bessre tage gesehn wirklich höflicher musikant

ottos mops trotzt
otto: fort mops fort
ottos mops hopst fort
otto: soso

otto holt koks
otto holt obst
otto horcht
otto: mops mops
otto hofft

ottos mops klopft
otto: komm mops komm
ottos mops kommt
ottos mops kotzt
otto: ogottogott

familienfoto

der vater hält sich gerade
die mutter hält sich gerade
der sohn hält sich gerade
der sohn hält sich gerade
der sohn hält sich gerade
der sohn hält sich gerade
der sohn hält sich gerade
die tochter hält sich gerade
die tochter hält sich gerade

der vater steht am fenster
der vater steht am fenster
der vater steht am fenster
der vater steht am fenster
DIE MUTTER

die mutter werkelt hinten herum
die mutter werkelt hinten herum
die mutter werkelt hinten herum
die mutter werkelt hinten herum
die mutter werkelt hinten herum
BIS DER VA TER denARM HEBT

und EINMAL
    ZWEIMAL
    DREIMAL

AB   WIN   KELT

1   üch
wüll
spülen   spül düch
            moyn
            künd

2   komm
    künd
    komm

    üss
    oyn
    abfall

3   sissys fuß ist
    mütter logisch

4   moyn boy loyd
    moyn boy loyd
    moyn boy loyd

mutter gesagt:
sterne ausschneiden

nacht geworden
schere genommen

stern geschnitten
stern verschwunden

wehgetan
daumen gefunden

mutter gesagt:
sterne ausschneiden

sterne geschnitten
geschnitten geschnitten

dunkel gemacht
aufgewacht

finger zehen
nase gefunden

mutter gesagt:
sterne ausschneiden

mutter bitte
nicht leiden nicht leiden

mutter gelacht
schere klopf

dummkopf ab
in kochtopf

64

da

du

    box

    box

du

da

    box

    box

da

da

    box

    box

      au

      au

AUS

    dir wird

      nie einer

      nie einer

fünfter sein

tür auf
einer raus
einer rein
vierter sein

tür auf
einer raus
einer rein
dritter sein

tür auf
einer raus
einer rein
zweiter sein

tür auf
einer raus
einer rein
nächster sein

tür auf
einer raus
selber rein
tagherrdoktor

flatt

flatt

   der vogel

flatt

flattliegt

   der vogel

flattgedrückt

flatt

wohin

wohin

dort

dort

der ort

der ort

schön

schön

fort

fort

die sonne scheint

die sonne scheint unterzugehn

die sonne scheint untergegangen

die sonne scheint aufzugehn

die sonne scheint aufgegangen

die sonne scheint

früh in frühling

im frühling somm

somm in sommer

im sommer herb

herb in herbst

im herbst wint

wint in winter

im winter früh

ob rot

o brot

ob lau

o blau

ob lau

o brot

ob rot

o blau

o brot

o blau

ob lau

ob rot

o blau

o blau

o brot

im himmel   an fernem ort

    bund   zusammenschluß

im himmel   an fernem ort

    fund   worauf man stößt

im himmel   an fernem ort

    hund   treues tier

im himmel   an fernem ort

    kund   bekannt

im himmel   an fernem ort

    mund   teil des kopfes

im himmel   an fernem ort

    rund   von glatter form

im himmel   an fernem ort

    und   bindewort

auf erden   hier

DER MANN STEIGT AUF DEN SESSEL
der mann steht auf dem sessel
DER SESSEL STEIGT AUF DEN TISCH
der mann steht auf dem sessel
der sessel steht auf dem tisch
DER TISCH STEIGT AUF DAS HAUS
der mann steht auf dem sessel
der sessel steht auf dem tisch
der tisch steht auf dem haus
DAS HAUS STEIGT AUF DEN BERG
der mann steht auf dem sessel
der sessel steht auf dem tisch
der tisch steht auf dem haus
das haus steht auf dem berg
DER BERG STEIGT AUF DEN MOND
der mann steht auf dem sessel
der sessel steht auf dem tisch
der tisch steht auf dem haus
das haus steht auf dem berg
der berg steht auf dem mond
DER MOND STEIGT AUF DIE NACHT
der mann steht auf dem sessel
der sessel steht auf dem tisch
der tisch steht auf dem haus
das haus steht auf dem berg
der berg steht auf dem mond
der mond steht auf der nacht

ein blatt
und unter diesem
        ein blatt
und unter diesem
        ein blatt
und unter diesem
        ein blatt
und unter diesem
        ein tisch
und unter diesem
        ein boden
und unter diesem
        ein zimmer
und unter diesem
        ein keller
und unter diesem
        ein erdball
und unter diesem
        ein keller
und unter diesem
        ein zimmer
und unter diesem
        ein boden
und unter diesem
        ein tisch
und unter diesem
        ein blatt
und unter diesem
        ein blatt
und unter diesem
        ein blatt
und unter diesem
        ein blatt

vorn
vom
vogel
vom
vater
von
vorn
vielleicht
viel
vielleicht
vorn
vom
vater
vom
vogel
von
vorn

flieder lied
der pflüger lüge
der pflüger lüge
flieder lied
der flieder lied
pflüger lüge
pflüger lüge
der flieder lied

pflüger lüge
der flieder lied
der flieder lied
pflüger lüge
der pflüger lüge
flieder lied
flieder lied
der pflüger lüge

der flieder lied
flieder lied
pflüger lüge
der pflüger lüge
flieder lied
der flieder lied
der pflüger lüge
pflüger lüge

der pflüger lüge
pflüger lüge
flieder lied
der flieder lied
pflüger lüge
der pflüger lüge
der flieder lied
flieder lied

bei gott!

oder ein wenig darüber

ja
ja
jazz
yes
jazz
jesus
jesus

ja
ja
jazz
yes
jazz
jesus
jesus

ja
ja
jazz
yes
jazz
jesus
jesus

ja
ja
jazz
yes
jazz
jesus
jesus

ja
ja
jazz
yes
jazz
jesus
jesus

ja
ja
jazz
yes
jazz
jesus
jesus

ja
ja
ja
jazz
yes
jazz
jesus
jesus

ja
ja
jazz
yes
jazz
jesus
jesus

ja
ja
jazz
yes
jazz
jesus
jesus

aye	is	poetry
you	is	poetry
hey	is	poetry
she	is	poetry
eat	is	poetry
wee	is	poetry
you	is	poetry
etc	is	poetry

das a das e das i das o das u
das u das a das e das i das o
das u das a das e das i das o
das a das e das i das o das u

das a das e das i das o das u
das u das a das e das i das o
das u das a das e das i das o
das a das e das i das o das u

das o das u das a das e das i
das i das o das u das a das e
das e das i das o das u das a

das o das u das a das e das i
das i das o das u das a das e
das e das i das o das u das a

fünf klafter after
   (dt. nach)
fünf klafter nach
   (engl. after)
fünf klafft er after
   (dt. nach)
fünf klafft er nach
   (engl. after)

fünf after (dt. nach)
   klafft er
fünf nach (engl. after)
   klafft er
fünf after (dt. nach)
   klafter
fünf nach (engl. after)
   klafter

after (dt. nach) fünf
   klafter
nach (engl. after) fünf
   klafter
after (dt. nach) fünf
   klafft er
nach (engl. after) fünf
   klafft er

(stanzen)

l	ie	d
gl	ie	d
fr		de
b	ie	r
fl	ie	der
n		der
w	ie	der
kr	ie	g
	ie	
	ie	
wa	ff	e
ö	ff	nen
gri		el
stra	ff	en
zi	ff	er
blu		en
o	ff	en
schi	ff	en
	ff	
	ff	
ta	pp	en
tri	pp	eln
kla		ern
schle	pp	en
tre	pp	e
ri		e
wa	pp	en
ku	pp	el
	pp	
	pp	

82

f	ah	ne
z	ah	l
st		l
str	ah	l
br	ah	ma
br		ms
s	ah	ne
r	ah	at
	ah	
	ah	
zu	ck	en
ni	ck	en
ste		en
schlu	ck	en
wa	ck	eln
bü		en
pe	ck	en
du	ck	en
	ck	
	ck	
h	ei	lig
h	ei	rat
h		m
h	ei	ter
h	ei	zen
schl		m
w	ei	ch
z	ei	sig
	ei	
	ei	

ha	‖	o
ke	‖	ner
vo		er
te	‖	er
a	‖	e
wo		en
bi	‖	ig
vö	‖	ern
	‖	
	‖	
g	au	men
tr	au	m
r		m
s	au	m
fl	au	m
b		m
z	au	n
p	au	se
	au	
	au	

zum

höll

mit dem kurzen

gedichte

zum

höllerer

mit dem

l
a
n
g
e
n

dienstage mittwoche donnerstage etc eignen sich alle sieben
tage zur montage, der moderne dichter neigt zur montage, er
eignet sich die montage an, die modernen maler haben etwas,
der moderne dichter macht es sich zu nutzen, max ernst wurde
1891 in brühl bei köln geboren, der moderne dichter überklebt
die modernen maler.

»ein gedicht, dessen einheit nur die persönlichkeit des schaf-
fenden und schauenden dichters herstellt, dieses im grunde
lyrische ich des bekennerisch und seherisch gestimmten dichters, dieses ich, das zeitlos und ewig ist, das es darum wagen
kann, über jahrtausende verstreutes geschehen als selbst-
erlebtes darzustellen« (soergel)

bsp 1:   über allen gipfeln ist ich
                              (goethe montiert)
bsp 2:   da schneeheuschrecken aus der luft ich hoff
                              (nedschati montiert)
bsp 3:   ich eros
                              (vergil montiert)
bsp 4:   und stärker bebt ich ich, so ich ich denke
                              (dante montiert)
bsp 5:   ich heu wölbt sich zum schaube
                              (lehmann montiert)

an den angeführten beispielen erweist sich die eminente
brauchbarkeit solcher altertümer in der hand des modernen
dichters. »seine spielkunst ist die überlieferte österreichische«
(nadler)

vgl dazu »menschen selbst können auch verwendet werden«
und »menschen selbst können auf kulissen gebunden werden«
(beides schwitters)

vgl dazu »schicksal heißt hier endlich nur die große probe auf
den freien willen, zu wählen oder zu verwerfen« (nadler), die
klassische definition der montage.

der vater weckt karl früh auf mit den worten
morgenstund hat gold im mund
dann machen die beiden einen spaziergang
fünfhundertfünfundfünfzig

der vater fragt nun karl ob er obige worte
auch verstanden habe
und erklärt ihm dann
a
b
c
d
fünfhundertfünfundfünfzig

a
fünfhundertfünfundfünfzig
b
fünfhundertfünfundfünfzig
c
fünfhundertfünfundfünfzig
d
fünfhundertfünfundfünfzig

wenn sie sich wäscht
sollen im wasser
goldene fische entstehen
a
fünfhundertfünfundfünfzig
b
fünfhundertfünfundfünfzig
c
fünfhundertfünfundfünfzig
d
fünfhundertfünfundfünfzig

es ist die personifizierte
morgenröte

a
fünfhundertfünfundfünfzig
b
fünfhundertfünfundfünfzig
c
fünfhundertfünfundfünfzig
d
fünfhundertfünfundfünfzig

auch schreibt man ihr goldene haare zu

a
goldene
b
goldene
c
goldene
d
goldene

und gleichzeitig fand karl die erklärung des vaters
in der erfahrung bestätigt

fünfhundertfünfundfünfzig
a
fünfhundertfünfundfünfzig
b
fünfhundertfünfundfünfzig
c
fünfhundertfünfundfünfzig
d

1 ein
1 wort
1 neben
1 das

2 ein wort
2 neben das
2 ein zweites
2 wort tritt

3 ein wort neben
3 das ein zweites
3 neben das ein
3 drittes wort tritt

4 ein wort neben das
4 ein zweites neben das
4 ein drittes neben das
4 ein viertes wort tritt

5 ein wort neben das ein
5 zweites neben das ein drittes
5 neben das ein viertes neben
5 das ein fünftes wort tritt

6 ein wort neben das ein zweites
6 neben das ein drittes neben das
6 ein viertes neben das ein fünftes
6 neben das ein sechstes wort tritt

7 ein wort neben das ein zweites neben
7 das ein drittes neben das ein viertes
7 neben das ein fünftes neben das ein
7 sechstes neben das ein siebentes wort tritt

8 ein wort neben das ein zweites neben das
8 ein drittes neben das ein viertes neben das
8 ein fünftes neben das ein sechstes neben das
8 ein siebentes neben das ein achtes wort tritt

9 ein wort neben das ein zweites neben das ein
9 drittes neben das ein viertes neben das ein fünftes
9 neben das ein sechstes neben das ein siebentes neben
9 das ein achtes neben das ein neuntes wort tritt

10 ein wort neben das ein zweites neben das ein drittes
10 neben das ein viertes neben das ein fünftes neben das
10 ein sechstes neben das ein siebentes neben das ein achtes
10 neben das ein neuntes neben das ein zehntes wort tritt

11 ein wort neben das ein zweites neben das ein drittes neben
11 das ein viertes neben das ein fünftes neben das ein sechstes
11 neben das ein siebentes neben das ein achtes neben das ein
11 neuntes neben das ein zehntes neben das ein elftes wort tritt

12 ein wort neben das ein zweites neben das ein drittes neben das
12 ein viertes neben das ein fünftes neben das ein sechstes neben das
12 ein siebentes neben das ein achtes neben das ein neuntes neben das
12 ein zehntes neben das ein elftes neben das ein zwölftes wort tritt
etc.

ein krug
darauf
ein tisch
nein
sondern

ein krug
darauf
ein tisch
nein
sondern

ein krug
darauf
ein tisch
nein
sondern

ein tisch
darauf
ein krug
ja
das

i love concrete

i love pottery

but i'm not

a concrete pot

ein text in drei teilen
1. teil (8 versionen)
2. teil (9 versionen)
3. teil (ein aufsatz)

                                    (8 versionen)

ZWEIMAL UND DER FISCH

zweimal und der fisch

ZWEIMAL UND DER FISCH

zweimal der fisch
(der fisch der fisch)

ZWEIMAL UND DER FISCH

nur zweimal und der fisch
(zweimal nur und der fisch)
(zweimal und nur der fisch)
(zweimal und der nur fisch)
(zweimal und der fisch nur)

MANCHMAL UND DER FISCH
manchmal und der fisch

MANCHMAL UND DER FISCH
manchmal der fisch

MANCHMAL UND DER FISCH
nur manchmal und der fisch
(manchmal nur und der fisch)
(manchmal und nur der fisch)
(manchmal und der nur fisch)
(manchmal und der fisch nur)

MANCHMAL UND DER FISCH (angedeutet)
gestern: (und) der fisch
vorgestern nicht: (und) der fisch
10 nach 7: (und) der fisch
9 nach 7: (und) der fisch
vor 5 minuten nicht: (und) der fisch
vor 6 minuten nicht: (und) der fisch

dieser aufsatz beschäftigt sich mit dem verhältnis zwischen einem titel und einem text.

besteht zwischen dem titel NUR UND DER FISCH und einem text das verhältnis der gleichheit, dann sieht das ergebnis so aus:

NUR UND DER FISCH

nur und der fisch

hat einer der bestandteile des titels NUR UND DER FISCH aber die aufgabe, das verständnis eines textes zu erleichtern, dann kann das ergebnis so aussehen:

NUR UND DER FISCH

nur der fisch

aber auch so:

NUR UND DER FISCH

und der fisch

nicht aber so:

NUR UND DER FISCH

der fisch

denn für diesen text muß der titel lauten: NUR DER FISCH (oder DER FISCH); aber auch

NUR UND DER FISCH

nur fisch

kann es nicht heißen, denn für diesen text muß der titel NUR UND FISCH (oder NUR FISCH) lauten.

doch kann für den text

nur fisch

der titel auch FISCH lauten; dann enthält der text eine überraschung. (ebenso kann für den text

nur und der fisch

der titel auch UND DER FISCH lauten; dann enthält auch dieser text eine überraschung.)

die lippen

1. teil
die
oberllppe
2. teil
die
unterlippe
umkehrung
1. teil
die
unterlippe
2. teil
die
oberlippe
überlagerung
die
lippen
visuelle version *)
1. teil
**)
2. teil
***)
umkehrung
1. teil
***)
2. teil
**)
überlagerung
****)

*) diese version ist nicht zu sprechen, sondern sichtbar zu machen; die titel hingegen werden gesprochen

**) die oberlippe wird so über die unterlippe gestülpt, daß diese nicht, jene hingegen auffällig, sichtbar ist

***) die unterlippe wird so über die oberlippe gestülpt, daß diese nicht, jene hingegen auffällig, sichtbar ist

****) beide lippen werden in geschlossenem zustand leicht nach vorn gestülpt, so daß beide, in gleichem maß auffällig, sichtbar sind

teil 1

er ist offen
er ist weiter offen
er ist sehr weit offen
er ist zu

teil 2

sie sehen nicht hinein
sie sehen hinein **)
sie sehen nicht hinein

*) der aussage der einzelnen zeile entsprechend, ist der mund
beim sprechen des textes möglichst vollkommen unbeweglich
jeweils offen, weiter offen, sehr weit offen oder geschlossen
zu halten, wobei die lautbildung, in verschiedenen graden von
annäherung an das gewohnte lautbild, durch die in bewegung
bleibenden teile – zunge und kehlkopf – und durch die, möglichst geschickte, lenkung des luftstroms und ausnützung der
resonanzräume erfolgt.

**) mundstellung wie teil 1 zeile 2

fritzi: room room room room

chairs, tables etc. hurriedly retreat into corners

broom: sweep sweep sweep sweep

the tender vase: CRASH

fritzi: broom broom broom broom

broom: weep weep weep weep

der wolf: RÜHM

gerhard   (entleert einen kleinen behälter mit einem dick-
                   flüssigen weißen inhalt über seinem kopf):
                   RAHM

der wolf: RÜHM

gerhard   (die arme ausgebreitet):
                   RAUM

der wolf: RÜHM

gerhard: REIM   (nach einer weile, heiser:)
                   REIM

der wolf: RÜHM

gerhard   (knieend):
                   ROM

der wolf: RÜHM

gerhard   (auf den zehenspitzen, mit vorgewölbter brust,
                   diese mit beiden händen festhaltend, begeistert):
                   RUHM

der wolf: RÜHM

gerhard   (nach einem tiefen zug aus seiner flasche):
                   RUM

der wolf: RÜHM

gerhard   (scheucht den wolf über die bühne):
                   DU UNGETÜM DU UNGETÜM DU UNGETÜM
                   DU UNGETÜM usf.

der wolf   (am äußersten rand der bühne, ehe er diese für
                   immer verläßt):
                   REIM

gerhard   (zum publikum, langgezogen, in höchster laut-
                   stärke):
                   RÜHM

ein stück mit aufblick

as si
si as
as si ei öl al re vi ox ku
ja si as ei öl al re vi ox ku
wi as si
si as so
si as wi du er si es ir di si
si as wi si as
wo as si
si as da
si as im ek
si as am ke am se im zo im nu in ru
si as wo si as
as si ro
si as re ni ro
si as ei ro
si as vi ni ro
ox wi ku as si ni ro
öl as si ro
ja si as ro
al as si ni ro
si as ro
wi ro as si
si as so ro wi du er si es ir di si
so ro as si
ro wi ro
sa si
si sa
sa si zu

ja si sa zu
wi sa si zu
si sa so zu
as si al sa si al
as si re sa si re
as si öl ei vi ox ku sa si di di si as
so sa si zu
sa si wi si as
si sa wo si as
si sa ob si as
si sa ob si wo as
si sa ni wi si as
wo as si wi
im ek as si so wi am ke
am ke as si so wi am se
am se as si so wi im nu
im nu as si so wi in ru
im zo as si wi du er si es ir di si
sa si in di hö
ja si sa in di hö
sa si da di au
di au sa si da ni
si sa in di hö wi si ei öl al re vi ox ku as
da sa si di hö

kss

fck

lck

sck

pss

sht

liegen

stehn

gehn

stehn

liegen

stehn

gehn

stehn

liegen

stehn

gehn

stehn

liegen

sie mehr den anderen
dieser sie weniger
er mehr die andere
diese ihn weniger
sie mehr den anderen
dieser sie weniger
er mehr die andere
diese ihn weniger
sie mehr den anderen
dieser sie weniger
er mehr die andere
diese ihn weniger
sie mehr den anderen
dieser sie weniger
er mehr die andere
diese ihn weniger
sie mehr den anderen

PHALLUS

klebt   allus

(werbetext)

der hauch

mir gefallen

mir gefallen sie auch

die sterne die sterne

der bauch

der hügel die haare die haut

der duft der luft

aus deinem in meinen

appetit

anna
maria
magdalena

   hosi

               hosianna
               hosimaria
               hosimagdalena

            hosinas

                     hosiannanas
                     hosimarianas
                     hosimagdalenanas

ananas

schmackel
schmackel
         bunz
         bunz
schmackel
schmackel
         bunz

schmackel
schmackel
         bunz
         bunz
schmackel
schmackel
         bunz

schmackel
         bunz
         bunz
         bunz
schmackel
         bunz
         bunz
         bunz
schmackel
         bunz
         bunz
         bunz
schmackel
         bunz
schmackel
         bunz
schmackel
         bunz

         bunz
schmackel
         bunz

         bunz
         bunz

schaun
schaun
träune sind
schäune
schän dich
schän dich
traun ist
schaun

schaun
träune sind
schäune
schän dich
schän dich
traun ist
schaun

schaun
träune sind
schäune
schän dich
schän dich
traun ist
schaun

schaun
träune sind
schäune
schän dich
schän dich
traun ist
schaun

schaun
träune sind
schäune
schän dich
schän dich
traun ist
schaun

schaun
träune sind
schäune
schän dich
schän dich
traun ist
schaun

schaun
träune sind
schäune
schän dich
schän dich
traun ist
schaun

krims krams
krems
krums kroms

kroims

krums krems
krims
kroms krams

kraums

kroms krims
krums
krams krems

kreims

krams krums
króms
krems krims

kriums

krems kroms
krams
krims krums

kruams

him hanfang war das wort hund das wort war bei
gott hund gott war das wort hund das wort hist fleisch
geworden hund hat hunter huns gewohnt

him hanflang war das wort hund das wort war blei
flott hund flott war das wort hund das wort hist fleisch
gewlorden hund hat hunter huns gewlohnt

schim schanflang war das wort schund das wort war blei
flott schund flott war das wort schund das wort schist
fleisch gewlorden schund schat schunter schuns gewlohnt

schim schanschlang schar das wort schlund schasch wort
schar schlei schlott schund flott war das wort schund
schasch fort schist schleisch schleschlorden schund
schat schlunter schluns scheschlohnt

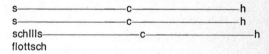

s————————c————————h
s————————c————————h
schllls————————c————————h
flottsch

a fleck

on the flag

let's putzen

a riss

in the flag

let's nähen

where's the nadel

now

that's getan

let's throw it

werfen

into a dreck

that's

a zweck

die farne horch
die farne horch
   schlächter als häute
   schlächter als häute

die farne horch
die farne horch
   mal arme
   mal armee

schlächter als häute
schlächter als häute
   mal arme
   mal armee

die farne horch
die farne horch
   schlächter als heu
   schlächter als tee

vorteuschen
oder
vortoischen
oder
vortoüschen
oder
vortaüschen

vortäuschen
oder
vertauschen
oder
vertuschen
oder
forthuschen

verdäutschen
oder
verdaütschen
oder
verdoütschen
oder
verdoitschen

vorziehen
oder
fortziehen
oder
fortsehen
oder
forzen

moritat

die der das taten waren
der die das taten war
der die das tun sah war
das die der taten war

die der das taten waren
der die das taten war
der die das tun sah war
das die der taten war

die der das taten waren
der die das taten war
der die das tun sah war
das die der taten war

die der das taten waren
der die das taten war
der die das tun sah war
das die der taten war

die der das taten waren
der die das taten war
der die das tun sah war
das die der taten war

die der das taten waren
der die das taten war
der die das tun sah war
das die der taten war

die der das taten waren
der die das taten war
der die das tun sah war
das die der taten war

die der das taten waren
der die das taten war
der die das tun sah war
das die der taten war

die der das taten waren
der die das taten war
der die das tun sah war
das die der taten war

die der das taten waren
der die das taten war
der die das tun sah war
das die der taten war

die der das taten waren
der die das taten war
der die das tun sah war
das die der taten war

die der das taten waren
der die das taten war
der die das tun sah war
das die der taten war

ölrauh
gallsüß
eisheiß
grasrot
kotrein
blutgrün
lochgelb
lavadünn
nabelmüd
steinklar
schamblau
eierspitz
afterklug
urinsteil
alpenhalb
samenlang
nasenfern
gabeleben
löwenzahm
stahlsanft
wolkenhart
bleileicht
honigsauer
ozeanklein
kreiseckig
butterkalt
lepraschön
kirschgrau
engelsgeil
runzeljung
darmbewußt
zungendürr
kitschecht
sesselblaß
kugelkrumm
quadratrund
kalkschwarz
wattescharf
blindenbunt
krebsbequem
wassersteif
granitweich
denkmaldumm
mariennackt
benzinfromm
distelglatt
scheuflüssig
teleskopblind
bordellkeusch
posaunenstumm
tumorfröhlich
sarggemütlich
scharlachkühl
erdbebenblond
wüstenträchtig
lilienschmutzig
explosionsstill
friedhofsmunter
schwielenhübsch
zwangsjackenmild
gebärmutterfrech
verwesungsfrisch
felsengeschwätzig
luftundurchsichtig
stacheldrahtheiter
konfirmationsschief
gaskammernbarmherzig
gründonnerstagfleckig

karwoche
ein turm

es war januar

es war februar

es war märz

es war märz

es war april

es war mai

es war mai fuß

such

a

mess

at

my

age

what

a

message

qua qua
t
o
rrrr
qua qua
t
o
rrrr
ä
o
t
qua qua
rrrr
ä
o
t
qua qua
rrrr
äääää
o
qua qua
rrrr
t

adiiio
adiiio
adiiio
adiiio
adiiio
rrrrrrrrrrrrrrrrrr
adiiio
adiiio
adiiio
adiiio
rrrrrrrrrrrrrrrrrr
adiiio
adiiio
adiiio
rrrrrrrrrrrrrrrrrr
adiiio
adiiio
rrrrrrrrrrrrrrrrrr
adiiio
rrrrrrrrrrrrrrrrrr
adiiio

adiiio

adiiio

```
lllssssssssssssssssss
lllssssssssssssssssss
lllssssssssssssssssss
lllssssssssssssssssss
blllllp
lllssssssssssssssssss
blllllp
blllllp
lllssssssssssssssssss
bll  bll  bll  bll  bll
pslllssssssssssssssss
pslllssssssssssssssss
blllp
pslllssssssssssssssss
pslllssssssssssssssss
pslllssssssssssssssss
sslllp  sslllp  sslllp
pslllssssssssssssssss
blllp
pslllssssssssssssssss
sslllp  sslllp  sslllp
pslllssssssssssssssss
pslllssssssssssssssss
pslllssssssssssssssss
blllp
pslllssssssssssssssss
pslllssssssssssssssss
bll  bll  bll  bll  bll
lllssssssssssssssssss
plllllb
plllllb
lllssssssssssssssssss
plllllb
lllssssssssssssssssss
sssssssssssssssssslll
sssssssssssssssssslll
sssssssssssssssssslll
```

über allen gipfeln

ist ruh

in allen wipfeln

spürest du

kaum einen hauch

die vögelein schweigen im walde

warte nur, balde

ruhest du auch

ÜBE!
rrrrrrrrrrrrrrrrrrrrrrrrrrrrrrrrrrrrrrrrrrrrrrrrrrrrrrrrrrr
A!
|||||||||||||||||||||||||||||||||||||||||||||||||||||||||||||||||||||
(eng)
iiiiiiiiiiiiiiiiiiiiiiiiiiiiiiiiiiiiiiiiiiiiiiiiiiiiiiiiiiiiiiiiiiii
ppp–
FEHL NIE!
ssssst
rrrrrrrrrrrrrrrrrrrrrrrrrrrrrrrrrrrrrrrrrrrrrrrrrrrrrrrrrrr
(»uuuhii«)
NNNA!
|||||||||||||||||||||||||||||||||||||||||||||||||||||||||||||||||||||
EEE!
nnnnnnnnnnnnnnnnnnnnnnnnnnnnnnnnnnnnnnn
WIPP!
⎯⎯⎯⎯
⎯⎯⎯⎯

⎯⎯⎯⎯
FEHL'N'S?
⎯⎯⎯⎯
(»püree«)
ssst! du!

            »kau
             meinen
             (hhhhhhhhh)
             auch ...«

                      »diii
                       eee«
                      ⎯⎯⎯⎯
            »vögel!«
            ⎯⎯⎯⎯
                      »eee«
                      ⎯⎯⎯⎯
            »ihn!«
            ⎯⎯⎯⎯
                      »s–c–hwwwe⎯⎯⎯⎯⎯⎯i«

            ⎯⎯⎯⎯

⎯⎯⎯⎯
GEH NIE IM WALD
eeewa ...
⎯⎯⎯⎯
rrrrrrrrrrrrrrrrrrrrrrrrrrrrrrrrrrrrrrrrrrrrrrrrrrrrrrrrrrr
TEE.
nnn–
UUU?
(rrrrrrrb
 alder uuhe)
⎯⎯⎯⎯
ssst! du!

            »au!«
c ⎯⎯⎯⎯⎯⎯⎯⎯⎯⎯⎯⎯⎯⎯⎯⎯ h

maaaaaaaäää

~~~~~~~~~~~~~~~~~~~~~~~~~~~

wdh.   ad lib.

pyjama mit rotem frosch

```
       l
      llll
   l  llll
    i/
   b/
```

pyjama roter frosch

```
        l
      llll
   l  llll
    i/
   b/
```

pits---c---hrottfrrrs-------c-------h

maaaaaaaäääääääääääääääääää...........................

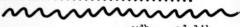

wdh.   ad lib.

g,ds--c--h,g,g,

(o) (uaa) (duaa) (uaa) (uöö) (uaa) (üüüiii)

(h)<u>rrrrr</u>[i],g,g,

(w)b(a)b(a)b(a)b.b.b.b.b.b.b.b.b.b....................

(1 2 3 4 5 6 7 · · ·.)

(bbb)b:ä/

ööööööööööööööö....................
(bbb)b:(h)/

(bbb):·
        (ch)ääääääääää............

```
                    nnnnnnnnnnnnn..............
mmmmmmmmmmmmmm/(1 2 3 4 1 2 . . . . . .        )


mmm(e)mmm(e)mmm(e)mmm(e)
mmm(i).....
mmm(a)
mmm(o)
   (u)


        (rrrrr        (rrrrr        (rrrrr
mmmmm/        mmmmm/        mmmmm/        .......


mmmm(b).mmmm(b).mmmm(b).  ........


                    nnnnnnnnnnnnn...................
mmmmmmmmmmmmmm/
```

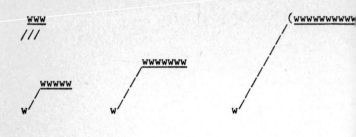

(gehaucht)

s————————————————————————————————

s————————————————c————————————————h

hü——————————————————————————————

u——————————————————————————————

o——————————————————————————————

a——————————————————————————————

i——————————————————————————————

(i)s————————————————c————————————————h

s——————————————————————————————

hu——————————————————————————————

(u)s————————————————c————————————————h

f——————————————————————————————

b—b—b—b—b—b—b—b—b—b—b—b—b—b—b—b—b

bs————————————————————————————

für friederike mayröcker

John Furnival: devil trap

TEUFELSFALLE

ein sprechtext

nach motiven der textplastik

DEVIL TRAP

des engländers

JOHN FURNIVAL

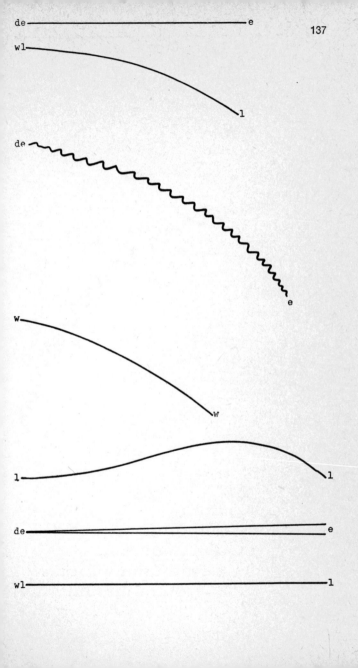

de ————————————————————————— e

wl ——_____
                              \
                               \
                                \
                                 l

de ∿∿∿∿∿∿∿∿∿∿∿∿∿∿∿
                  ∿∿∿∿∿∿∿∿
                          ∿∿∿∿∿
                               ∿∿∿
                                  ∿∿
                                    e

<wllll
    <wllllll
        <wlllllllll
            <wllllllllllllll
             <wllllllllllllllllllll
                <wllllllllllllllllllllllllll
                 <wllllllllllllllllllllllllllllllllllll

de	de	de	wlll	wlll
de	de	de	wlll	wlll
de	_dia_	de	wlll	wlll
de	dia	de	wlll	wlll
de	dia	de	wlll	_blll_
de	dia	de	wlll	blll
de	dia	de	_wlllou_	blll
de	dia	de	wlllou	blll
de	dia	de	wlllou	_blllou_
de	dia	de	wlllou	blllou
de	dia	de	_walllou_	blllou
de	dia	de	walllou	blllou
de	dia	de	walllou	_balllou_
de	dia	de	walllou	balllou
de	dia	_dia_	walllou	balllou
de	dia	dia	walllou	balllou
de	dia	dia	walllou	balllou
de	dia	dia	walllou	balllou
de	dia	dia	walllou	balllou
de	dia	dia	walllou	balllou
de	dia	dia	walllou	balllou

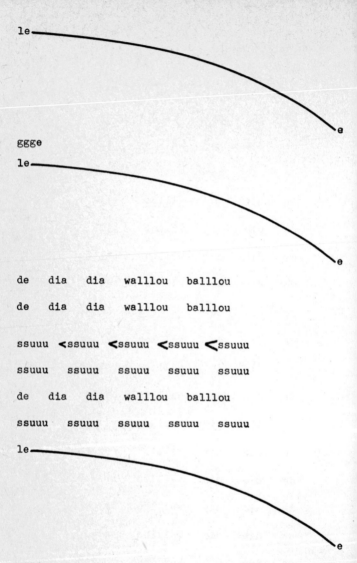

le
e

ggge

le
e

de   dia   dia   walllou   balllou
de   dia   dia   walllou   balllou

ssuuu <ssuuu <ssuuu <ssuuu <ssuuu
ssuuu ssuuu ssuuu ssuuu ssuuu
de   dia   dia   walllou   balllou
ssuuu ssuuu ssuuu ssuuu ssuuu

le
e

ggge

de   dia   dia   walllou   balllou

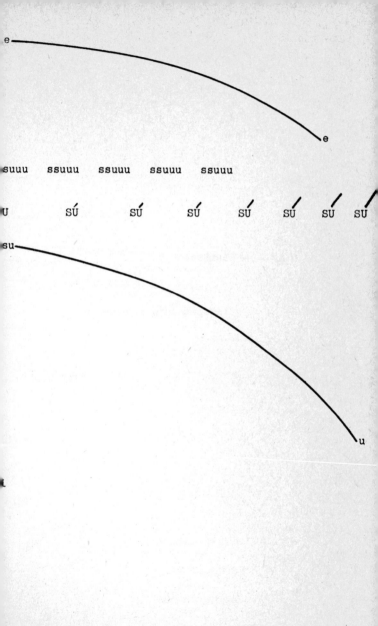

e   e

suuu   ssuuu   ssuuu   ssuuu   ssuuu

U   SÚ   SÚ   SÚ   SÚ   SÚ   SÚ   SÚ

su

                                                                    u

"interessant."

        "interessant."

"interessante."

            "quite interesting."

      "interessant."

      "interessante interessante."

              "interessant.

"interessant."

in	terra	es	sante	tibi
in	terra	es	sante	tibi
in	terra	es	sante	tibi
en	terre	est	santé	o lé

```
in  terra  es  sante  tibi
in  terra  es  sante  tibi
en  terre  est  santé  o  lé
en  terre  est  santé  o  lé


in  terra  es  sante  tibi
en  terre  est  santé  o  lé
en  terre  est  santé  o  lé
en  terre  est  santé  o  lé


le  diable  est  bléblé
le  diable  est  bléblé
le  diable  est  blébléblébléblébléblébléblébléblébléblébl
                                                          lé
le  diabl                              lebléblébléblé
le  diabl
    leblébléblébléblébléblébléblébléblébléblébléblébl
                                  l
```

dia ‿ sem blé

dia ‿ sem blé

dios ‿ semblable

dios ‿ semblable

dieu ‿ dissemblable

dieu ‿ dissemblable

dieu ‿ dissemblable

dys - eu   en babel

dys - eu   en babel

bubble

babble

babel

baby

bible

boy

she was a little girl   145

and she had a little curl

and she was a little girl

and she had a little curl

and she was a little girl

and she had a little curl

and she was a little girl

and she had a little curl

AND SHE DRANK COCOA

she was a little girl

and she had a little curl

and she was a little girl

and she had a little curl

and she was a little girl

AND SHE DRANK COCOA

she was a little girl

and she had a little curl

and she was a little girl

and she had a little curl

AND SHE DRANK COCOA

she was a little girl

and she had a little curl

and she was a little girl

AND SHE DRANK COCOA

she was a little girl
and she had a little curl
AND SHE DRANK COCOA.
she was a little girl
AND SHE DRANK COCOA

AND SHE DRANK COCOA

AND SHE DRANK COCOA

KÁKO KÁLO CÓCA CÓLA

kekk

okex

kalokex

keilo keio kleio l'keio

k'leiko

-

laquer

-

lacko'

-

jack o' diamonds

lack o' <u>daemones</u>

lack o' diamonds

lack de quack

lack de signs   [si-n]

I like em pills

I like em pills

I like em pills

I like em pilllllllllllsner beer

all I can piss

all I can piss

all I can piss

I like em pilllllllllllsner,beer

I like em

I like em

dick   duck

dick   duck

I like em

I like em

dick   duck

dick   duck

dick   duck

148

kekko - kequack - kekko - quackokkex

dick   duck

dick   duck

kekko - kequack - kekko - quackokkex

dick   duck

dick   duck

dick   ducks   frog - ugly/duckling/

froggly/wugling/fruggly/wocklin/fuckly/

dogling/fuckly/wocklin/fruggly/

wugling/froggly/duckling/ugly/frog

         ducks

dick   fuck

fick   duck

dick   fuck

fick   duck

dogling/fuckly/wocklin/fruggly/wugling/

froggly/duckling/ugly/frog//ducks/

/frog/ugly/duckling/froggly/wugling/

fruggly/wocklin/fuckly/dogling

dick   duck

dick   duck

dick   duck

dick   da

```
di      da

di      da

di      a

i       a

i       a

e       i

o       u

a   e   i   o   u   /   a   e   i   o   u   /

a   e   i   o   u   /   aaaaaaaaaaaaaaaaa

e   i   o   u   //      a   eeeeeeeeeeeeeeeee →

i   o   u   aaaaaaaaaaaaaaaaa →

e   iiiiiiiiiiiiiiiii →

o   uuuuuuuuuuuuuuuuu

        aaaaaaaaaaaaaaaaa

            eeeeeeeeeeeeeeeee

                iiiiiiiiiiiiiiiii

                    a e i o u
```

prayer

where is wheeley
wheeley where are you
where is wheeley's wife
wheeley's wife where are you

prayer

where is free wheeley
free wheeley where are you
where is free wheeley's free wife
free wheeley's free wife where are you

prayer

where is free wheeley free
free wheeley where are you free
where is free wheeley's free wife free
free wheeley's free wife where are you free

prayer

where is free will wheeley free will
free will wheeley where are you free will
where is free will wheeley's free will wife free will
free will wheeley's free will wife where are you free wil]

prayer

RETRO ME SATANUS RETRO ME (OM)

SATURANUS METRO RESARTOR (OM)

MATRE ROTAS (OM) ROTAS MATRISH (OM)

TENET ILLEGIBL(OM) PATER NOSTR'(OM)

PAR TERRE NOS TERRES (OM)

MATER NOSTRA (OM) ETERNOS

PATER (O

           M

              MARY HAD A LITTLE LAMB (OM)
              IN THE MIDDLE OF HER (OM)

ETCETR(OM)

AD(O

      MAMMAMIIIIAAA

INFINIT(O   M   M

zusammengestellt september 1969

Inhalt

1 visuelle gedichte

7 der künstliche baum (69)
8 raupe (69)
9 bravo (67)
10 charlie's walk (65)
11 séance (66)
12 samt samt seltsamen (63)
13 wettrennen (64)
14 morgen/abend (67)
15 streben: eine entwicklung (68)
16 escalator (69)
17 die nerven (66)
18 signal (68)
19 eine fahne für österreich (69)
20 alphabet einer macht (69)
21 kurskorrektur (57/69)
22 stellvertretend (68)
23 verteilung (68)
24 homage à brancusi 1—4 (67)
28 altern (64)
29 BIOGRAPHY (69)
32 ich/nicht (66)
33 die jakobsleiter (66)
34 ebbe/flut (63)
35 immer starrer (68)
36 ein so riesen haufen (69)
37 moral (69)

2 ein lesetext

41 villgratener texte (57)

154

3 lese- und sprechgedichte

53 vorfahre und nachkomme (69)
54 frühe übung (68)
56 frühe erinnerung an (68)
57 aus den 30er jahren (68)
58 ottos mops (63)
59 a family of four (64)
60 familienfoto (67)
61 die automate (67)
62 die mutter und das kind (64)
63 kinderreim (63)
64 da (68)
65 fünfter sein (68)
66 flatt (68)
67 wohin (68)
68 die sonne scheint (69)
69 früh in frühling (68)
70 ob rot (68)
71 doppelgedicht (69)
72 immer höher (57)
73 antipoden (69)
74 gedicht mit 17 v (68)
75 lied mit begleitung (68)
76 bei gott! (63)
77 ja (57)
78 easy grammar poem (65)
79 sonett (69)
80 altes maß (63)
81 distanzen (67)
84 zum höll (66)
85 montage (57)
86 fünfhundertfünfundfünfzig (57)
88 darstellung eines poet. problems (68)
89 zum problem d. richt. darfstellung (69)
90 I love concrete (69)
91 UND DER FISCH (63)
94 die lippen (69)
95 der mund (69)
96 fritzi & the broom (69)
97 gerhard und der wolf (69)

98 essen (64)
100 what you can do without vowels (69)
101 body-building (66)
102 sie mehr den anderen (63)
103 werbetext (64)
104 der hauch (66)
105 hosi (56)
106 privater marsch (67)
107 voyeur (64)
108 krims krams (57)
109 fortschreitende räude (57)
110 the flag (68)
111 straßenrufe (68)
112 identität (68)
113 enthauptet (63)
114 moritat (63)
115 karwoche: ein turm (57)
116 es war januar (64)
117 der englische botschafter (68)

4   lautgedichte

121 äquator (57)
122 abschied (64)
123 lllssssssssssssssss (64)
124 ein gleiches
125 ÜBE! (65)
126 pyjama mit rotem frosch (67)
127 reinhard, reinhard, rosa lamm (67)
128 (w)b(a) . . . (67)
129 mmmmmmmmmmmm (67)
130 www (67)
131 gute nacht gedicht (gehaucht) (68)

5   ein sprechtext

135 TEUFELSFALLE (65)

anmerkung: die zahl nach jedem titel
bezeichnet das entstehungsjahr

Ernst Jandl in der Sammlung Luchterhand

ernst jandl
serienfuss

Sammlung
Luchterhand

»serienfuss«, von »servus«, und »türschüss«, von »tschüss«, begrüssen auf deutsch und auf österreichisch den leser dieser sammlung von 71 ernsten und heiteren, durchsichtigen und undurchdringlichen, phonetischen und visuellen, herausfordernden und versöhnenden gedichten. es sind konkrete gedichte, aufforderungen zum denkenden und entdeckenden mitmachen, spiele für blick und stimme. linien ziehen sich zu den anderen produktionen des autors, den büchern »laut und luise«, »sprechblasen« und »der künstliche baum«, dem stück »szenen aus dem wirklichen leben«, und an einer stelle tritt ein satz aus »dingfest«, ernst jandls katalog seiner sonstigen möglichkeiten, unversehens in die konkrete umgebung. natürlich stösst man unentwegt auf sprache, an sprache an, und tatsächlich ist das natürlich, nämlich im sinn der natur von gedichten. es ganz deutlich zu machen, dass es hierbei um sprache geht, um den umgang mit sprache, nicht um den umgang, mittels sprache, mit leuten (wie das alltags geschieht), das ist der zweck der konkreten poesie; dass auch in dieser eigenartigen verwendung jedes wort, jeder bruchteil von wort, welt widerspiegelt, ist das vergnügen daran. etwas von solch konkretem vergnügen enthält schon der satz, der, obwohl auch die anderen, jedoch ohne davon zu reden, dem gleichen zweck dienen, als einziger sich zu der konkreten aufgabe bekennt, diesen text so lange fortzuführen, bis er den leser, wie soeben, zur konkreten aktion des umwendens des buches veranlast hat.

Ernst Jandl
Dingfest

Sammlung
Luchterhand

vater komm erzähl vom krieg
vater komm erzähl wiest eingrückt bist
vater komm erzähl wiest gschossen hast
vater komm erzähl wiest verwundt wordn bist
vater komm erzähl wiest gfallen bist
vater komm erzähl vom krieg

ernst jandl
die bearbeitung der mütze
gedichte

Sammlung
Luchterhand

Ernst Jandl:
serienfuss
Gedichte
Band 157. DM 7,80
71 ernste und heitere, durchsichtige und undurchdringliche, phonetische und visuelle, herausfordernde und versöhnende Gedichte. Es sind konkrete Gedichte, Aufforderungen zum denkenden und entdeckenden Mitmachen, Spiele für Blick und Stimme; Linien ziehen sich zu den anderen Produktionen des Autors, den Büchern *Laut und Luise, Sprechblasen* und *Der künstliche Baum,* dem Stück *Szenen aus dem wirklichen Leben,* und an einer Stelle tritt ein Satz aus *dingfest,* Jandls Katalog seiner sonstigen Möglichkeiten, unversehens in die konkrete Umgebung. Natürlich stößt man unentwegt auf Sprache, an Sprache an.

Ernst Jandl:
dingfest
Gedichte.
Band 121.
159 von Ernst Jandl ausgewählte und chronologisch gereihte Gedichte aus den Jahren 1952 bis 1971. Ihre Sprache bleibt der Sprache des Alltags genähert. Wie diese zeigt sie nicht auf sich selbst, sondern verhält sich dienstbar. Sie teilt Zustände, Vorgänge, Umstände mit. Sie teilt außerdem mit, was der, was er mitteilt, bei dem, was er mitteilt, denkt, fühlt.

Sammlung
Luchterhand

Ernst Jandl:
die bearbeitung der
mütze
Gedichte.
Band 335.

Gedichte aus den Jahren 1970 - 1977: ein Zyklus von 17 Gedichten, *der gewöhnliche rilke;* einer von 14 Gedichten, *tagenglas;* ein langes, manches aus dem bisherigen lyrischen Werk des Autors resümierendes *Gelegenheitsgedicht; 183 Fahnen für Rottweil;* 6 Variationen über Goethes Gedicht *Wer sich der Einsamkeit ergibt;* eine Serie von 5 thematisch verwandten, musikalisch bestimmten Gedichten mit dem gemeinsamen Obertitel *vorschule der geläufigkeit;* ein Block von sieben *bemerkungen zu einem einzelnen tag;* ein Gedicht in deutscher und darauf in englischer Sprache, außerdem 79 Einzelgedichte.

Lyrik in der Sammlung Luchterhand

**Guillaume Apollinaire
Alkohol**
Gedichte französisch-deutsch

Guillaume Apollinaire:
Alkohol
Gedichte. Französisch-
deutsch. Band 192.

**Karoline von Günderrode
Der Schatten eines
Traumes**

Gedichte, Prosa, Briefe,
Zeugnisse von Zeitgenossen
Herausgegeben und mit einem Essay
von Christa Wolf

Karoline von Günderrode:
Der Schatten eines
Traumes
Gedichte, Prosa, Briefe,
Zeugnisse von Zeit-
genossen
Herausgegeben und mit
einem Essay eingeleitet
von Christa Wolf.
Band 348.

**Günter Grass
Gesammelte Gedichte**

Günter Grass:
Gesammelte Gedichte
Mit einem Vorwort von
Heinrich Vormweg
Band 34.

**Ludwig Fels
Vom Gesang der Bäuche**

Ausgewählte Gedichte 1973–1980

Ludwig Fels:
Vom Gesang der Bäuche
Ausgewählte Gedichte.
Band 314.

**Peter Härtling
Ausgewählte Gedichte
1953–1979**
Nachwort von Karl Krolow

Peter Härtling:
Ausgewählte Gedichte
1953 - 1979
Nachwort von
Karl Krolow
Band 290.

**Sammlung
Luchterhand**

Lyrik in der Sammlung Luchterhand

Lesarten
Hundert Gedichte

ausgewählt
und kommentiert
von Ursula Krechel

Lesarten
Hundert Gedichte
ausgewählt und
kommentiert von
Ursula Krechel
Band 346.
(erscheint März 1982)

Hertha Kräftner
Das blaue Licht
Lyrik und Prosa

Herausgegeben von Otto Breicha und
Andreas Okopenko
mit einem Nachwort von Peter Härtling

Hertha Kräftner:
Das blaue Licht
Lyrik und Prosa.
Nachwort Peter Härtling
Band 334.

Gabriela Mistral
Liebesgedichte

Herausgegeben von Federico Schopf

Gabriela Mistral:
Liebesgedichte
Spanisch-deutsch
Band 335.

Kurt Marti
Leichenreden

Kurt Marti:
Leichenreden
Band 235.

Ernst Meister
Ausgewählte Gedichte
1932 - 1976

Nachwort von Beda Allemann

Ernst Meister:
Ausgewählte Gedichte
1932 - 1979
Erweiterte Neuausgabe.
Band 244.

Erich Mühsam
Ich möchte Gott sein
und Gebete hören

Prosa, Gedichte, Stücke
Herausgegeben von Wolf Engers

Erich Mühsam:
Ich möchte Gott sein
und Gebete hören
Prosa, Gedichte, Stücke
2 Bände. 380 und 381

Lyrik in der Sammlung Luchterhand

**Pablo Neruda
Letzte Gedichte**   spanisch deutsch

Pablo Neruda:
Letzte Gedichte
Spanisch-deutsch
Band 201.

**Pablo Neruda
Viele sind wir**

Späte Lyrik

Pablo Neruda:
Viele sind wir
Späte Lyrik von
„Extratouren" bis
„Memorial von Isla Negra"
Band 73.

**Pablo Neruda
Liebesgedichte**   spanisch deutsch

Pablo Neruda:
Liebesgedichte
Spanisch-deutsch
Band 232.

**Ernst S. Steffen
Rattenjagd**
Aufzeichnungen aus dem Zuchthaus

**Lebenslänglich
auf Raten**
Gedichte

Ernst S. Steffen:
Rattenjagd
Aufzeichnungen aus dem
Zuchthaus
Lebenslänglich auf Raten
Gedichte
Band 327.

Sammlung
Luchterhand

**William Butler Yeats
Liebesgedichte**
Herausgegeben von Werner Vordtriede

William Butler Yeats:
Liebesgedichte
Herausgegeben von
Werner Vordtriede
Band 218.